Chers amis rongeurs,
bienvenue dans le monde de

Geronimo Stilton

GERONIMO STILTON

TÉA STILTON

BENJAMIN STILTON

TRAQUENARD STILTON

PATTY SPRING

PANDORA WOZ

FARFOUIN SCOUIT

Texte de Geronimo Stilton.
*Basé sur une idée originale d'*Elisabetta Dami.
Collaboration éditoriale de Roberto Pavanello.
Coordination éditoriale de Patrizia Puricelli.
*Édition d'*Isabella Salmoirago *et* Alessandra Rossi.
Coordination artistique de Roberta Bianchi.
Assistance artistique de Lara Martinelli *et* Tommaso Valsecchi.
Couverture de Giuseppe Ferrario.
Illustrations intérieures de Giuseppe Ferrario *(dessins et couleurs).*
Cartes : Archives Piemme.
Graphisme de Michela Battaglin.
Traduction de Titi Plumederat.

www.geronimostilton.com

Pour l'édition originale :
© 2009, Edizioni Piemme S.p.A. – Via Tiziano, 32 – 20145 Milan, Italie
sous le titre *Il mistero della perla gigante.*
International rights © Atlantyca S.p.A. – Via Leopardi, 8 – 20123 Milan,
Italie – www.atlantyca.com – contact : foreignrights@atlantyca.it
Pour l'édition française :
© 2012, Albin Michel Jeunesse – 22, rue Huyghens, 75014 Paris
www.albin-michel.fr
Loi 49-956 du 16 juillet 1949 sur les publications destinées à la jeunesse
Dépôt légal : premier semestre 2012
Numéro d'édition : 19347
ISBN-13 : 978 2 226 23972 3
Imprimé en France par Pollina s.a. en mars 2012 - L59584

Geronimo Stilton

UNE PÊCHE EXTRAORDINAIRE !

ALBIN MICHEL JEUNESSE

UNE CHALEUR
ASSOURISSANTE !

C'était un été **CANICULAIRE** !
Comme tous les rongeurs qui avaient dû rester
en ville pour **TRAVAILLER**, je faisais de mon
mieux pour me protéger de la chaleur. Ce jour-
là, je n'avais pas quitté la maison, où je finissais
d'écrire mon dernier `best-seller`, lorsque,
soudain…

Oups, excusez-moi ! Je ne me suis pas présenté :
mon nom est Stilton, *Geronimo Stilton*, et je
dirige *l'Écho du rongeur*, le journal le plus célèbre
de l'île des Souris.

Je **disais** donc que j'étais devant mon ordinateur,
lorsqu'un sifflement soudain me fit sursauter sur
ma chaise :

PFIIIIIIOUUUUUU !

Puis j'entendis des gargouillements bizarres :

GLOU-GLOU-GLOU-GLOUUUUUUB !

Et, enfin, une petite explosion :

BOUUUM !

Une fumée noire sortit de mon vieil
appareil de **CLIMATISATION**.
Par mille mimolettes, il était
kaput !
– Adieu, air frais ! me dis-je.
J'appelai les magasins d'élec-
troménager de Sourisia pour
acheter un nouvel appareil, mais

chaque fois ce fut un **répondeur** téléphonique qui décrocha : « Nous informons notre aimable clientèle que le magasin est **FERMÉ** pendant les vacances. Nous rouvrirons à la fin du mois. Bonnes vacances ! »

Je finis par trouver un magasin ouvert mais... il venait de vendre son dernier climatiseur ! SNIF !

J'ÉTAIS DÉSESPÉRÉ ET LA MAISON SE TRANSFORMAIT PEU À PEU EN SAUNA !

J'essayai alors les remèdes suivants :

1 *des glaçons et des boissons froides (cela me donna aussitôt mal au ventre !) ;*

2 *un mouchoir humide sur le front (mais il y avait de l'eau qui gouttait sur mon clavier !) ;*

3 *les pieds dans une bassine d'eau froide et un sac de glaçons sur la tête (mais cela me donna mal à la tête !) ;*

4 *une douche froide toutes les 30 minutes (mais je perdais trop de temps à me sécher !) ;*

5 *un ventilateur géant (mais cela faisait s'envoler toutes mes feuilles de papier !).*

«Aux grands maux les grands remèdes !» pensai-je enfin. Je remplis ma baignoire de **GLAÇONS** et y plongeai en ne laissant dépasser que mes pattes et les épreuves que je devais relire.

– Aaah, enfin un peu de fraîcheur ! m'exclamai-je, ravi. En tout cas tant que les glaçons n'ont pas fondu…

Il fait bien frais !

Je venais de me remettre à lire les épreuves avec attention quand on sonna à la porte.

DRIIIIIIIIINNNNNNNNG !

Par mille mimolettes ! Pourquoi maintenant ?!

Je sortis de la baignoire, tout **DÉGOULINANT**, nouai une serviette autour de ma taille et descendis l'escalier.

J'ouvris la porte sans demander qui avait sonné, et, dès que j'eus reconnu la superbe *rongeuse*

qui se tenait devant moi, je devins cramoisi de honte !

– **Patty Spring !** m'exclamai-je, en essayant de me cacher. Quelle surprise !

Un cadeau
inattendu

– Salut, G ! répondit-elle en entrant comme une tornade.

Quel **parfum** délicieux elle portait...

– Que puis-je faire pour toi ? lui demandai-je. Tu veux une boisson fraîche ?

– Volontiers, merci ! Il fait si chaud !

Salut G !

– Hélas, mon climatiseur vient de rendre l'âme !
Attends-moi dans le salon, j'arrive tout de suite !
Je m'habillai en quatrième vitesse et apportai deux
grands verres d'**orangeade** avec plein de
glaçons.
– Je suis content que tu sois venue me voir ! lui
dis-je en regardant, fasciné, ses merveilleux yeux
bleus.

QUELLE RONGEUSE CHARMANTE !

Vous le savez sans doute, j'ai un faible pour
Patty... Le problème, c'est que je ne me décide
jamais à le lui dire ! Je suis un gars, *ou
plutôt un rat*, trop **TIMIDE**.
– Je t'ai apporté un cadeau ! me dit-
elle en me tendant une enveloppe.
– Un cadeau ? Pour moi ? demandai-
je, surpris.

Je tournai et retournai l'enveloppe avant de me décider à l'ouvrir. Elle contenait un papier sur lequel il était écrit :

> **BON**
> **POUR UN COURS DE**
> **PLONGÉE SOUS-MARINE**
> **À L'ÎLE CORSAIRE !**

– Un cours de plongée sous-marine ? Je te remercie beaucoup, mais je...

– Il n'y a pas de « mais » qui tienne ! Tu travailles trop ! Tu as besoin de prendre du repos et comme je dois partir tourner un **DOCUMENTAIRE** sur cette fameuse île Corsaire, j'ai décidé de t'emmener avec moi.

– Mais je ne peux pas partir comme ça... Je dois finir mon l i v r e ... Et puis il y a Benjamin, et toi tu as Pandora...

– Mais nous les emmenons, bien entendu ! Tante Toupie a déjà proposé de nous accompagner.

Elle s'occupera d'eux pendant que je **travail-lerai** et que tu te reposeras.

Patty avait vraiment pensé à tout !

Mais moi, **JE DÉTESTE LES VOYAGES, JE DÉTESTE LE SABLE** et la mer et, surtout, je **DÉTESTE NAGER** ! Mais pouvais-je dire non à une semaine entière en compagnie de la rongeuse de mes rêves ?

Aussi, je lui demandai :

– **Quand partons-nous ?**

– Tout de suite, G ! Tu as dix minutes pour boucler ta valise !

UN DÉPART ÉCLAIR

Par mille mimolettes! Problème: pas facile de boucler sa valise en dix minutes!

J'avais déjà vécu ça, oubliant à la maison des choses très importantes (par exemple les sachets de camomille pour m'endormir ou encore mon **pyjama** préféré!), et je m'étais promis de ne plus me faire avoir.

Aussi, j'avais toujours dans mon armoire deux valises prêtes pour un départ ino- piné: une pour les pays **CHAUDS** et une autre pour les régions **FROIDES**. Pour ne pas les confondre, je les avais même choisies de cou- leurs différentes: la bleue pour le froid et la rouge pour le chaud. Ainsi donc, il me suffit d'aller dans ma chambre pour **attraper** ma valise rouge!

Puis je me *présentai* devant Patty en disant:
– Me voici! Je suis prêt!
– Tu as été plus rapide que l'éclair, G! Mais comment as-tu fait?
– C'est une question d'**entraînement**! répondis-je.
Patty me regarda, admirative... J'avais les moustaches qui vibraient d'émotion. J'avais mis dans le mille!

Nous montâmes dans son 4×4 et passâmes prendre Benjamin et Pandora, qui se trouvaient déjà chez tante Toupie, prêts à partir. Patty avait vraiment pensé à tout !

Dès qu'ils nous virent, ils nous SAUTÈRENT au cou, enthousiastes. (*Pandora sauta aussi sur une de mes pattes !*) Tante Toupie, toujours très élégante dans son tailleur lilas, s'était parfumée à la LAVANDE et se tenait près d'oncle Épilon, son mari adoré, capitaine au long cours désormais à la retraite.

– Je donnerais mes moustaches pour partir avec vous ! dit oncle Épilon. Hélas, il y a une importante **conférence** à la capitainerie du port, et je ne peux pas manquer

cela! Faites bon voyage et attention... aux requins!
Tout le monde éclata de rire.
Moi, un peu moins fort que les autres...

– On paaaaaart! s'écrièrent Benjamin et Pandora en montant dans le ▨▨▨.

– Génial! ajouta tante Toupie, et elle envoya un bisou de la patte à oncle Épilon.

Après toutes ces années vécues ensemble, ces deux-là s'aimaient toujours très fort! *Peut-être en serait-il ainsi un jour pour Patty et moi!*

C'EST À VOUS,
CE PIOLET ?

Nous arrivâmes à l'aéroport sans retard. Comme je suis un *noblerat*, je proposai de m'occuper des bagages de tante Toupie et de Patty. Hélas, je ne trouvai pas un seul chariot libre et dus **porter** les valises jusqu'au comptoir d'enregistrement : j'étais épuisé !

MAIS CE N'ÉTAIT QUE LE DÉBUT...

Pff... Nous attendions que nos **valises** passent le contrôle de sécurité, quand une alarme assourdissante se mit à sonner au moment même où la dernière valise s'engageait sur le **tapis roulant** : c'était la mienne !

– Elle est à vous, cette valise ? me demanda un agent en uniforme.

– O... oui... balbutiai-je.

– Ouvrez-la immédiatement !

J'obéis, terrorisé. Je soulevai le couvercle et restai sans voix. Ma valise contenait tout l'équipement pour la haute **montagne** : pulls épais, doudoune, bonnet, gants et chaussures fourrées, et un beau piolet pour escalader les glaciers.

Par mille petits fromages affinés !

J'avais mélangé le contenu des valises et fourré dans la rouge tout le nécessaire pour la montagne !

– Vous savez qu'il est interdit d'emporter un piolet dans l'avion ? Quelle est votre destination ?

– Euh... je vais **SUIVRE** un cours de... euh... (j'osai à peine le dire...) un cours de **plongée** sous-marine... murmurai-je, cramoisi de honte.

L'agent me dévisagea sévèrement (peut-être pensait-il que je me moquais de lui !).

– Alors vous n'aurez pas besoin de ce piolet ! conclut-il en me le confisquant.

Un pilote
terrible !

– Et qu'est-ce que je fais, maintenant? **MUR-MURAI**-je quand j'eus repris ma valise.
– Ne t'inquiète pas, G! me consola Patty. Ça arrive à tout le monde de se tromper! Il suffira d'aller faire un peu de shopping quand nous serons sur l'île! **Dépêchons**-nous, maintenant, notre avion nous attend!
Si j'avais su ce qu'elle entendait par «notre avion», je serais allé à la montagne! Comme il n'existait aucun vol de ligne pour l'**île Corsaire**, la chaîne de télévision pour laquelle travaillait Patty avait affrété un petit avion de tourisme.
Le problème, ce n'était pas l'avion, c'était le pilote! On aurait dit un aviateur du siècle dernier,

avec un casque en cuir et des lunettes aux verres couverts de poussière.

Il parlait d'une voix forte : – *BIENVENUE À BORD !* cria-t-il pour nous accueillir. MON NOM EST ACROBERT LOOPING ET JE SUIS LE COMMANDANT DE CET AVION. ATTACHEZ VOTRE CEIN- TURE ET RELEVEZ LE DOSSIER DE VOTRE SIÈGE ! NOUS ALLONS DÉCOLLER ! ACCROCHEZ-VOUS !

ACROBERT LOOPING

– C'est un bon ? demandai-je à Patty.

– *Un très bon !* répondit-elle avec un sourire.

Puis elle poursuivit, enthousiaste :

– Tu te rends compte, il a remporté deux fois le championnat de vol acroba- tique de l'île des Souris !

Comme s'il l'avait entendue, Acrobert commença à zigzaguer entre les nuages, montant et descendant sans cesse.

BRRRR... QUELLE FROUSSE FÉLINE !

Heureusement, les nuages disparurent bientôt et la trajectoire de l'avion se stabilisa.

Au bout d'une heure et demie environ, nous **ARRIVÂMES** en vue de l'île Corsaire.

– La voici ! s'exclama Patty en désignant une petite silhouette vert **émeraude** qui brillait au milieu du bleu sombre de l'océan Ratonique méridional. L'île paraissait déserte, on ne distinguait qu'un village touristique sur la côte ouest.

– Je ne vois pas la **PISTE** d'atterrissage... dis-je.

– C'est normal, il n'y en a pas !

– Co-comment cela ? Comment allons-nous faire ?

– Nous allons atterrir directement sur l'**eau** et nous rejoindrons la rive avec les radeaux de sauvetage de l'avion !

– *QUOIIIII ? AU SECOUUURS !* hurlai-je, terrorisé.

L'avion vira brusquement et commença à se diriger à toute vitesse vers la mer...

BRRRR... QUELLE FROUSSE FÉLINE !

Puis, petit à petit, Acrobert ralentit et, contrairement aux prévisions, l'atterrissage fut assez doux. En un rien de temps nous atteignîmes la rive, où nous accueillit un gars, *ou plutôt un rat,* très bizarre.

– Bienvenue à terre, *señor* Stilton ! **Nous vous attendions !**

LA FAMILLE RONGEON

– Mon nom est Pablo Rongeon et je suis DIRECTEUR de l'unique hôtel de l'île !
– ENCHANTÉ... bredouillai-je.
– Permettez à mes enfants de se charger de vos bagages ! Ratiro ! Ratirez ! Donnez donc un coup de patte à ce monsieur, *por favor*...
Deux rongeurs **athlétiques** à l'air rusé empoignèrent mes valises.
– Vous devez être la *señorita* Patty Spring, celle de la télé ! Ravi de vous connaître !
Patty présenta également tante Toupie, Benjamin et Pandora.

PABLO RONGEON

– Mais je ne vois pas les autres **bagages**…
remarqua le directeur.

C'est alors qu'une autre rongeuse lança d'une
voix **FORTE** à mon intention :

– Attention, *señor* !

Si je m'étais déplacé plus rapidement, la valise
qu'Acrobert venait de me lancer ne m'aurait pas
cogné la **caboche**.

– *Ola*, quel coup ! commenta le directeur. À
propos : voici ma fille, Ratira !

Ils me conduisirent dans ma chambre. Patty me donna un sac plein de **GLAÇONS**, et tante Toupie s'assit près de moi en me prenant la patte.

– Respire ça, mon cher neveu ! dit-elle en me mettant sous le nez un petit flacon couleur lilas. Ce sont des sels **parfumés** au fromage affiné, il n'y a rien de mieux pour les maux de tête.

Je fermai les yeux. En effet, ça allait beaucoup mieux. C'est alors que je **REVIS** devant mes yeux Pablo Rongeon et ses trois enfants. Malgré le coup que j'avais reçu, j'étais certain d'avoir noté un détail qui faisait qu'ils se ressemblaient étrangement. Mais quoi ?

INDICE 1

OBSERVE TOI AUSSI LA FAMILLE RONGEON : TU NE REMARQUES RIEN ?

LE BAPTÊME AQUATIQUE !

Le **LENDEMAIN** était une journée vraiment splendide.

J'étais au beau milieu d'un *rêve* dans lequel Patty et moi **SAUTIONS** dans les vagues sur le dos d'un dauphin, lorsque quelqu'un frappa à la porte.

– QUI EST-CE ?

– C'est Patty, G ! Tu as oublié que nous devions faire du shopping ?

Par mille mimolettes ! C'était vrai ! Je ne pouvais pas aller à la plage en doudoune !

Patty, rapide comme un **CYCLONE**, m'emmena acheter ce dont, d'après elle, j'avais besoin. Elle avait l'air si décidé que je n'osais pas la contredire, mais, à la fin, je me retrouvai dans cet accoutrement :

1) chemise à fleurs **orange** ;
2) bermuda **vert** petit pois ;
3) sandales **violettes** phosphorescentes ;
4) casquette à tranches **colorées**.

Argh...

J'avais l'impression d'être un perroquet multicolore !

– Ça te va très bien, G ! Tu as l'air plus jeune ! s'exclama Patty.

Puis elle me salua et **partit** pour aller commencer son tournage dans l'île.

– Eh, oncle G, ça te va bien ! dirent aussi **Pandora** et **Benjamin** quand ils me virent.

– Il ne te manque qu'un peu de lilas, observa tante Toupie. Tiens !

Et elle me noua autour du cou un foulard de sa couleur préférée.

Ainsi accoutré, je pris mon sac avec mon maillot de bain et mon peignoir et me dirigeai vers la plage, où m'attendait ma première plongée sous-marine.

Sur la jetée se tenait déjà mon moniteur, à bord d'un petit canot à MOTEUR.

Mais c'était… Ratirez, le fils de Pablo Rongeon !

– Surpris, *señor* Stilton ? me dit-il. Sur cette île, nous devons être capables de faire un peu tout. Moi, par exemple, l'après-midi, je suis **VALET** et, le matin, moniteur de plongée. Mais ne vous inquiétez pas : aucun de mes élèves n'a jamais eu de problème ! Alors, content ?

– Très content ! répondis-je tout en sueur.

– *Bueno !* Je vais vous aider à mettre la combinaison.

Ce fut une opération très pénible que d'entrer dans cette espèce de combinaison en **caoutchouc** qui

m'arrachait le pelage et me faisait transpirer énor-
mément...

– Donnez-moi la patte. Je vais vous aider à monter
à bord...

C'était un jeu d'enfant, mais je
suis si maladroit que je fis un pas
de travers et tombai... à l'eau !
Ratirez me repêcha en me tendant une rame et me remonta sur
le canot, à DEMI noyé.

– Vous avez eu peur, *señor* Stilton ?

– Juste un peu... murmurai-je.

Pendant que nous nous éloignions
de la jetée, je saluai tante Toupie et les enfants :
savoir quand je les reverrais...

Une fois au large, Ratirez m'aida à mettre mes
palmes, mon masque et les bouteilles d'oxygène.
Ainsi équipé, j'avais l'air d'une MOMIE !

– Asseyez-vous sur le bord du canot et, s'il vous
plaît, restez immobile ! Ne bougez pas !

Je tâchai de lui obéir, mais ce ne fut pas facile :
le canot se **BALANÇAIT** sur l'eau et le poids
des bouteilles me faisait perdre l'équilibre.

J'avais à peine réussi à m'asseoir qu'un balancement plus fort me projeta en arrière et je tombai une seconde fois dans la MER !

– Pas mal, *señor* Stilton ! rit Ratirez. C'est *presque* la bonne technique !

Je ne sais pas combien de temps je restai làdessous : assez longtemps pour être ÉPOUVANTÉ et sentir que, une seconde fois, j'étais repêché par la rame de Ratirez.

– *Todo* bien, *señor* Stilton ? me demanda-t-il.

– Ça va bien, merci. Mais il y avait quelque chose, là-dessous, qui a essayé de me mordre ! Ça avait une bouche énorme ! Vous auriez dû voir ça, c'était gigantesque !

– Une bouche énorme ? Et qu'est-ce que c'était ?

– On aurait dit un poisson. Un poisson tout bleu.

– Un poisson bleu ? répéta Ratirez, incrédule. Vous en êtes vraiment certain ?

Bien sûr que j'en étais certain, mais, pendant tout le voyage de RETOUR, Ratirez continua de me

demander si j'étais vraiment certain de ce que j'avais vu.

BIZARRE, *TRÈS BIZARRE !*

DE LA GLACE
À LA MORUE…

Le soir, au dîner, nous avions tous beaucoup de choses à nous raconter : Benjamin et Pandora s'étaient baignés et avaient fait une sculpture en sable. Tante Toupie avait ramassé des coquillages couleur lilas avec lesquels elle avait fait un très joli petit collier. Patty était très satisfaite des images qu'elle avait tournées sur l'île et pensait déjà à celles du lendemain.

– Et toi, oncle Geronimo ? me demanda Benjamin. Comment s'est déroulée ta première plongée ?

– Euh… pas trop mal… bredouillai-je. Quoique… enfin, je devrais plutôt dire…

– Allez, *señor* Stilton, dit Pablo Rongeon en arrivant avec un grand plateau de **fruits de mer**, ne faites pas le timide ! Parlez donc à vos *amigos* du grand poisson bleu qui allait vous dévorer ! *HÉ ! HÉ ! HÉ !*

– Je vois que les nouvelles vont vite, sur votre île... répondis-je, un peu fâché.

– Un grand poisson **bleu** ? demanda Pandora. Allez, raconte, oncle G, raconte !

– Tu as vu un grand poisson bleu et tu ne nous en parles pas ? insista Patty. Demain, je plonge avec toi. Je dois absolument le filmer !

– Oh, ça me va très bien ! répondis-je, tout heureux.

Tante Toupie me fit un petit clin d'œil. J'étais si heureux à l'idée de passer la journée avec Patty que je ne fis qu'une seule bouchée d'une petite seiche recouverte d'une jolie sauce rouge.

J'aurais mieux fait de m'abstenir… *C'ÉTAIT DE LA SAUCE PIQUANTE !*

– Au feuuu ! m'écriai-je. Je brûûûle !

Effrayé, Pablo arriva en courant et me versa un pichet d'eau glacée sur la tête.

Quand il s'aperçut de son erreur, il s'excusa longuement :

– Je croyais que vous brûliez vraiment, *señor* Stilton !

Pour se faire pardonner, il me fit goûter la spécialité de la maison : la **GLACE** à la morue !

J'allai me coucher avec la nausée et, pendant toute la nuit, je **rêvai** au grand poisson bleu qui me poursuivait, la gueule béante, prêt à me dévorer !

LES RÉVÉLATIONS D'ONCLE ÉPILON

Le lendemain matin, tante Toupie vint me réveiller à **6 H 15**!

– Il faut que je te parle, c'est urgent, mon neveu... me dit-elle en chuchotant *mystérieusement.*

– Il s'est passé quelque chose? demandai-je, les yeux encore pleins de sommeil.

– Ton histoire du poisson bleu géant m'a intriguée et, hier soir, j'ai téléphoné à oncle Épilon. Et sais-tu ce qu'il m'a dit?

– *NON, QUOI?*

– Dans l'océan Ratonique méridional, il n'existe qu'une seule créature qui corresponde à ces caractéristiques. Mais ce n'est pas un poisson.

C'est un grand coquillage, le **Célestin Nacré**, mais les gens de mer l'appellent « l'Œil de l'Océan », et la plupart du temps il est gros comme le poing. Mais, dans de très rares cas, il peut devenir énorme et il a alors une valeur considérable parce que...

– **Parce que?** demandai-je, de plus en plus curieux.

– Il allait me l'expliquer quand la communication a été coupée et je n'ai pas réussi à le rappeler. Bah,

C'est un grand coquillage...

tant pis, retournons nous coucher, mon neveu. Fais de beaux rêves !

Je ne parvins pas à trouver le sommeil : un peu à cause de ce que m'avait raconté ma tante, un peu parce que, au bout d'une demi-heure, Patty débarqua dans ma chambre, déjà habillée de la tête aux pattes.

– Alors, on y va ? **LE SOLEIL VA SE LEVER !**

– Mais à quoi bon se lever si tôt ? lui demandai-je en bâillant.

– Les frères Rongeon m'ont dit que, si je voulais avoir quelque chance de filmer le poisson bleu, il fallait que je me lève très tôt, m'expliqua-t-elle. **DÉPÉCHE-TOI, G !** Je t'attends sur la jetée.

Cette fois, sur la jetée, nous trouvâmes Ratiro et Ratirez.

– Ratirez plongera avec vous, expliqua son frère. Il vaut mieux être prudent.

Une nouvelle fois, je dus me démener pour mettre la combinaison, les palmes et les bouteilles. Puis le moteur fut lancé et nous nous ÉLOIGNÂMES du rivage. Je regardai Patty qui se préparait : elle, c'était une **plongeuse** sous-marine expérimentée. Elle me sourit et je me sentis plus tranquille. Avant que nous ne plongions, Ratirez m'attacha à la taille une ceinture plombée, très lourde.

– Qu'est-ce que c'est donc ? demandai-je, effrayé.

– C'est le lest : ça vous aidera à descendre plus vite, *señor* Stilton. Vous êtes prêt ? Allez !

Et en un instant, il me renversa dans l'eau !

Ma fin ?!

Je fermai les yeux et retins mon souffle tant que je pus. J'avais la tête qui tournait et je ne savais plus si j'étais en HAUT ou en BAS.

Puis quelqu'un me prit la patte et je rouvris les yeux : c'était Patty, qui me fit signe de respirer calmement.

Je suivis son conseil et fus très surpris quand je sentis que c'était l'oxygène des bouteilles qui arrivait dans mes poumons et non pas, comme je l'avais craint, de l'eau de mer !

Ratirez apparut à côté de nous et nous fit signe de le suivre.

LA CEINTURE DE PLOMB M'ENTRAÎNAIT VERS LE FOND !

J'essayai de bouger les palmes, comme eux, mais,

au lieu d'avancer, je me mis à tourner en rond...
telle une **toupie** !

Ratirez s'en aperçut et vint à mon secours. Pendant ce temps, Patty allumait la caméra sous-marine. Je donnai quelques timides coups de palmes et j'eus la satisfaction de voir que j'arrivais à avancer dans la bonne direction derrière Patty et Ratirez.

Peu à peu, la **FROUSSE FÉLINE** des premières minutes se dissipa et je me sentis presque sûr de moi... Évidemment, j'avais parlé trop vite !

Soudain, je perdis l'une de mes palmes (*je l'avais pourtant bien dit à Ratirez que je les trouvais trop larges !*) et je me retrouvai à **ruer** dans le vide, en essayant désespérément de remonter.

Mais la ceinture de plomb m'**ENTRAÎNAIT**

toujours vers le fond. Mes compagnons ne s'apercevaient de rien… et je ne pouvais évidemment pas les appeler !

Et puis Patty était tellement occupée à filmer pour son **reportage** que rien n'aurait pu la distraire.

Plus je m'enfonçais, plus l'**eau** était sombre, obscure, aussi effrayante que la **gueule** d'un chat ! Soudain, je revis en dessous de moi cet éclat que j'avais **REMARQUÉ** la première fois. Je regardai en bas : c'était le poisson bleu !

BLOB…
BLOB…

Il avait la gueule **OUVERTE** et j'allais atterrir dedans.

Par mille mimolettes !

AU SECOuuuuuuuuuuuuuuuuuuuuuuuuuuuuuuuuuuuuurs !

L'ŒIL DE L'OCÉAN

Je commençai à me **débattre** avec la ceinture plombée pour essayer de la détacher, mais j'avais les **PATTES** qui tremblaient si fort que je n'y arrivais pas.

Pendant ce temps, je devinais les énormes mâchoires du poisson bleu prêtes à se refermer sur moi !

BRRRR... QUELLE FROUSSE FÉLINE !

Il n'allait faire de moi que de la pâtée pour chat ! Mais pourquoi Patty et les autres ne s'étaient-ils aperçus de rien ? Je jetai un dernier coup d'œil vers le haut et il me sembla entrevoir la lumière de la **caméra** de Patty qui s'approchait, puis je regardai vers le bas et fus **PÉTRIFIÉ** de stupeur !

À un demi-mètre de moi reposait sur le **FOND** un gigantesque coquillage, de couleur bleutée. Il était grand ouvert et, au centre, gardait une énorme *perle* qui lançait des reflets nacrés.

Oncle Épilon avait raison ! Ce que j'avais vu le premier jour, ce n'était pas un poisson géant, mais le fameux « Célestin Nacré » !

MALHEUREUSEMENT, quand je touchai le fond, je soulevai un nuage de sable et le coquillage se referma d'un coup, comme pour protéger son trésor.

Mais Patty avait réussi à le filmer avec sa **CAMÉRA** avant qu'il ne se referme.

Ratirez essaya d'ouvrir la coquille bleutée à la seule force de ses pattes. Mais le **coquillage** semblait décidé à ne pas s'ouvrir, comme s'il avait été scellé.

Ratirez essaya alors de le forcer avec une **PIERRE**, sans plus de résultat.

Patty lui fit signe d'arrêter : tout ce qu'il

allait faire, ce serait d'**ABÎMER** la coquille ! Ratirez nous dit de remonter. Ils ne furent pas trop de deux pour m'enlever la ceinture plombée, et, bientôt, je pus poser de nouveau les pattes sur la terre ferme !

À QUI APPARTIENT LE TRÉSOR ?

Dès que Ratirez eut parlé à son frère du trésor qui se **cachait** au fond de l'océan, tous deux échangèrent un regard très étrange.

Bizarre, très bizarre !

Puis Ratirez me félicita :

– Nos sincères compliments, *señor* Stilton ! Je crois que vous avez découvert aujourd'hui le plus grand spécimen d'Œil de l'Océan qui ait jamais existé !

– Et je serai la première journaliste scientifique à l'avoir filmé ! Je diffuserai ce reportage pendant mon émission sur les mers de l'île des Souris, et cette *merveille* sera connue dans le monde entier !

– Et moi, j'enverrai aujourd'hui même par e-mail à *l'Écho du rongeur* un article sur la décou-

verte du coquillage ! ajoutai-je. Demain, nous publierons un grand *scoop* à la une !

Nous étions si **HEUREUX** que nous ne nous aperçûmes pas de la manière dont Ratiro et Ratirez nous regardaient : ils paraissaient très agacés par notre enthousiasme !

Bizarre, très bizarre !

Pendant le repas, Pablo Rongeon me fit plein de compliments :

– D'après la tradition des pêcheurs, les *perles* de la mer appartiennent à ceux qui les ont trouvées. Vous êtes riche, *señor* Stilton !

Puis il m'assura, que, avec ses enfants Ratiro, Ratirez et Ratira, qui se tenaient tous *autour* de la table, il m'apporterait toute son aide pour récupérer cette *merveille* de la nature au fond de l'océan.

Tante Toupie, Benjamin et Pandora voulurent connaître tous les *détails* de cette expédition couronnée de succès.

– Combien peut valoir une telle perle ? demanda Pandora.

– **CELA N'A PAS DE PRIX**, dit Benjamin.

– C'est vrai, ajouta tante Toupie, et pourtant, mon cœur me dit qu'il serait plus juste de la laisser là-bas, dans l'océan. Après tout, quel droit avons-nous de nous en emparer ?

– C'est à oncle Geronimo de décider. Vous avez entendu le directeur. La perle appartient à celui qui la trouve ! conclut Benjamin.

– Bah, moi, je me contenterai de publier la nouvelle dans *l'Écho du rongeur* et de laisser Patty diffuser les images qu'elle a **FILMÉES**.

Ratiro, Ratirez et Ratira m'applaudirent et Pablo Rongeon commenta :

– Vous êtes un véritable *noblerat*, vous êtes un cœur pur et désintéressé, *señor* Stilton !

Puis ils s'en allèrent et nous laissèrent seuls.

Patty me regarda, émue.

– Bravo, G, tu as pris la bonne décision ! me dit-

elle en fixant sur moi ses merveilleux **YEUX BLEUS**.

J'étais tellement *hébété* par son regard que je ne compris pas tout de suite la signification de la question de Benjamin :

– Oncle Geronimo, où as-tu mis ton ordinateur ?

Pas plus que celle que Pandora posa à Patty :

Vous êtes un noblerat !

– Et toi, tante Patty, où as-tu mis ta caméra ?

– Dans ma chambre ! répondîmes-nous tous deux.

Puis nous nous regardâmes et comprîmes les soupçons des deux enfants.

INDICE 2

QUE SOUPÇONNENT BENJAMIN ET PANDORA ?

BIZARRE...
TRÈS BIZARRE !

Hélas, les soupçons des enfants furent bientôt confirmés : mon ordinateur et la carte mémoire de la caméra de Patty avaient **DISPARU** ! Ainsi, je ne pourrais pas envoyer mon article à *l'Écho du rongeur* et Patty ne pourrait pas diffuser le documentaire sur la découverte de l'Œil de l'Océan.

Quelqu'un voulait mettre la patte sur la perle géante avant que la nouvelle ne soit connue !

MAIS QUI ?

– Je crois que vous nous devez une explication, monsieur Rongeon ! dis-je au directeur, qui s'était précipité dans nos chambres avec ses enfants et paraissait vraiment bouleversé par ces vols.

– Je suis vraiment **navré**, *señor* Stilton ! Je vous assure qu'une telle chose ne s'était jamais produite dans mon **hôtel** ! Qui peut bien avoir fait cela ?

Euh...

– J'espérais que vous pourriez nous le dire ! répliqua Patty.

– Vous ne nous **soupçonnez** tout de même pas, n'est-ce pas, *señorita* Patty ? Pendant toute la durée du repas, mes enfants et moi-même nous sommes activés pour servir aux tables, vous l'avez constaté vous-même...

C'était la vérité. Mais si les **VOLS** avaient eu lieu avant le dîner ? C'était possible, mais il nous fallait des preuves.

– Voulez-vous que je fasse **interroger** les autres clients par la police ? insista Rongeon.

– Laissez tomber, répondis-je. Patty tournera d'autres images demain. Quant au journal...

– Quant au journal, intervint tante Toupie en

brandissant son **VIEUX** téléphone portable lilas, ne t'inquiète pas, mon cher neveu. J'ai déjà prévenu tes collaborateurs de la

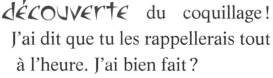

découverte du coquillage ! J'ai dit que tu les rappellerais tout à l'heure. J'ai bien fait ?

– Tu as très bien fait, ma tante ! dis-je avec enthousiasme, tandis que Rongeon et ses enfants s'efforçaient de sourire.

– *BUENO*, conclut brusquement Pablo. Alors l'affaire est close ! Retournons au travail. *Buena noche a todos !* *

Sans attendre davantage, je pris le téléphone portable et rappelai *l'Écho du rongeur* pour dicter mon `article` avec le récit de la découverte. J'étais tellement heureux de ce scoop que personne ne comprit pourquoi, soudain, je me mis à **HURLER** :

* Buena noche a todos ! En espagnol, cela signifie : bonne nuit tout le monde !

– Aïe !

Je m'assis sur le lit et levai la patte : une épine s'y était plantée. Tante Toupie me l'enleva avec beaucoup de délicatesse et la montra à tout le monde en disant :

– Regardez, comme c'est bizarre : ce n'est pas une épine, c'est une boucle d'oreille en or. À qui peut-elle bien appartenir ?

– Moi, je sais ! s'exclama immédiatement Ben-jamin.

Je repensai au déroulement de la soirée et, soudain, je compris.

– Moi aussi, je crois le savoir ! conclus-je.

INDICE 3

ET TOI, AS-TU COMPRIS À QUI APPARTIENT LA BOUCLE D'OREILLE ?

(REGARDE LE DESSIN DE LA PAGE 30 ET COMPARE-LE AVEC CELUI DE LA PAGE 59. TU NE REMARQUES RIEN ?)

LE PROFESSEUR
ARRIVE

Le lendemain **MATIN**, l'*Écho du rongeur* s'arracha dans tous les kiosques de Sourisia.

La nouvelle de notre découverte fit le **tour** de l'île en quelques heures !

Mais nous n'étions pas au bout de nos **SURPRISES** ! À 6 h 30, le directeur Rongeon frappa à la porte de ma chambre pour m'annoncer une **étrange** nouvelle :

– Nous avons mis la patte sur votre ordinateur, *señor* Stilton ! La femme de chambre l'a trouvé dans le couloir et l'a apporté à la **réception**...

Il allait repartir, mais je le retins :

– Attendez ! dis-je en lui tendant la *boucle d'oreille* en or que j'avais retrouvée dans ma chambre. La personne qui a pris mon ordinateur a dû perdre ceci...

Rongeon rougit, *bredouilla* un remerciement et sortit.

Au moins, il savait désormais que nous les soupçonnions, lui et ses enfants !

J'allais me recoucher quand le téléphone se mit à **SONNER** sans répit !

Pfff!

Je répondis, dans l'ordre, à :

1) **SALLY RASMAUSSEN**, toujours jalouse de mes succès ;

2) **grand-père Honoré**, qui voulait me féliciter ;

3) le maire **Honoré Souraton**, qui proposait d'accueillir le coquillage au musée d'Histoire naturelle de Sourisia ;

4) une **dizaine de collectionneurs** intéressés par l'achat du coquillage ;

5) une **vingtaine de bijoutiers** qui voulaient acheter la perle…

Et à bien d'autres personnes encore !

Lorsque Patty, tante Toupie, Benjamin et Pandora vinrent me chercher dans ma chambre, j'étais épuisé !

– Nous n'arriverons jamais à défendre l'Œil de l'Océan contre tous ces rongeurs, dis-je, désespéré.

– À moins que… fit Patty.

– À moins que… ? dis-je pour l'encourager.

– À moins que nous ne prenions l'initiative, dit-elle **mystérieusement**. Ce matin, j'ai téléphoné à oncle Épilon, qui m'a donné ce numéro de téléphone : c'est celui du directeur de l'**AQUARIUM** municipal de Sourisia. C'est un de ses vieux amis, il pourra nous aider à protéger le **coquillage** contre toutes les personnes mal intentionnées.

Comme le suggérait Patty, je téléphonai aussitôt au directeur de l'aquarium. Une petite voix lasse me répondit :

– Allô, ici Hermès La Palme, directeur de l'aquarium municipal de Sourisia. En quoi puis-je vous être utile ?

– Bonjour, professeur, je suis Stilton, *Geronimo Stilton*…

Il lui suffit d'entendre prononcer mon nom pour s'enthousiasmer : il se mit à parler à toute vitesse, sans me laisser placer un seul mot.

Évidemment, lui aussi avait lu le journal et, comme tout le monde, avait été frappé par cette découverte extraordinaire.

Ne bougez pas!

– Ne bougez pas! me cria-t-il, tout excité. J'arrive sur l'île Corsaire avant la fin de la **MATINÉE**, avec tout l'équipement adapté. Ce coquillage doit être récupéré au plus **VITE** et avec de grandes précautions, il s'agit d'un spécimen rarissime!

Maintenant, je me sentais plus tranquille!

Puis, un triste pressentiment me traversa l'esprit:
– Et si les frères Rongeon ont récupéré le coquillage la nuit dernière?
Patty, qui m'écoutait attentivement, me regarda avec un sourire complice...
– **IMPOSSIBLE!** répondit-elle avec assurance.
– Et pourquoi? lui demandai-je, surpris.

– Parce que, le bouchon de leur canot pneuma-
tique… c'est moi qui l'ai! dit Patty en
riant.

ET VOICI QUE DÉBARQUENT... LES CURIEUX !

Benjamin suggéra de surveiller étroitement les mouvements des frères Rongeon, pour éviter qu'ils ne nous *piquent* le coquillage sous le nez.

Tante Toupie se proposa pour surveiller la plage avec Benjamin et Pandora, tandis que Patty et moi resterions aux **ENVIRONS** de l'hôtel.

Nous prenions le petit déjeuner ensemble lorsque notre attention fut attirée par le bruit de nombreuses embarcations provenant du petit **PORT** de l'île. Nous courûmes à la porte et découvrîmes un spectacle **STUPÉFIANT**.

C'étaient des dizaines de rongeurs, journalistes, passionnés, simples curieux, qui avaient rappliqué de tous les coins de l'océan Ratonique méridional

pour voir de leurs **YEUX** l'Œil de l'Océan.

– *Señor* Stilton! me cria Pablo Rongeon en venant à ma rencontre. C'est une invasion! Faites quelque chose!

Señor Stilton!

– **Ne vous inquiétez pas!** lui répondis-je. D'ici à quelques heures, une équipe de l'aquarium municipal de Sourisia récupérera le **coquillage** et tout sera fini. Vous êtes content?

De la tête, Rongeon fit signe que oui, mais son visage n'avait pas du tout l'air heureux de cette nouvelle. Je le vis partir en **COURANT** pour aller comploter avec Ratirez.

Heureusement, le professeur La Palme tint parole et, à la fin de la matinée, nous vîmes arriver un **drôle** de bateau, équipé d'un radar sur la cabine, d'une petite grue à la poupe et portant sur la coque l'inscription: BATEAU-LABORATOIRE AQUARIUM MUNICIPAL DE SOURISIA.

J'allai à la rencontre du professeur pour lui sou-
haiter la bienvenue.

– Où est-il ? me demanda-t-il, très ému.

– **Venez. Je vais vous montrer.**

Nous montâmes tous à bord du bateau-laboratoire.

Ratirez proposa de nous guider et entra dans la
cabine du commandant : un certain Poulpe de
Poulpon...

Je remarquai qu'ils se parlaient comme s'ils se

connaissaient depuis très **LONGTEMPS**... Cette affaire ne me plaisait pas du tout !

Cependant, nous étions parvenus sur les lieux de la DÉCOUVERTE.

– C'est ici ! dit Ratirez, et le commandant immobilisa le bateau.

Une balise flottante fut jetée à la mer et un rongeur-grenouille se prépara à **plonger**. Entre-temps, tous les BATEAUX arrivés ce jour-là à l'île Corsaire s'étaient rassemblés autour de nous. Patty mit sa **CAMÉRA** en marche.

Poulpe de Poulpon

LE REPÊCHAGE

L'opération dura au moins une heure.

Le *plongeur* enveloppa le coquillage dans un filet de sécurité puis remonta pour nous faire signe de le hisser à bord. Le commandant de Poulpon ACTIONNA la petite grue qui se trouvait à bord et le câble commença à s'enrouler.

Tout le monde retenait sa respiration !

Seuls Ratirez et le commandant continuaient de *comploter* dans leur coin, comme si cette histoire ne les concernait pas.

Toutefois, dès que le gigantesque Œil de l'Océan sortit de la mer, ils s'interrompirent eux aussi : ce coquillage était *merveilleux* !

Les flashs crépitèrent et les caméras tournèrent, pendant que les *exclamations*

d'admiration et d'incrédulité fusaient tout autour du bateau.

Le professeur La Palme ne cessait de répéter :

– Doucement, commandant ! Faites attention !

L'Œil de l'Océan fut descendu à travers une **trappe** dans la cale du bateau et fut ainsi soustrait aux regards des curieux. Quant à nous, nous descendîmes aussitôt sous le pont où le professeur se préparait à effectuer les premiers examens. Patty eut même l'autorisation de filmer la scène. Le coquillage fut pesé, mesuré, photographié sous tous les angles et, enfin, soumis à une **RADIOGRAPHIE** spéciale qui révéla les dimensions exceptionnelles de la perle qu'il renfermait.

– *Fantastique !* s'exclama le professeur dès qu'il vit la radio.

– Qu'allez-vous faire, maintenant ? demanda Patty qui, comme nous tous, se sentait un peu responsable du sort de ce trésor.

– Ne craignez rien. Je vais maintenant l'immerger dans un bac rempli d'eau de MER, puis nous enfermerons ce bac dans une caisse de BOIS rembourrée pour le transport. Un grand bassin tout neuf l'attend déjà à l'aquarium de Sourisia. Les visiteurs pourront bientôt admirer ce prodige de la nature.

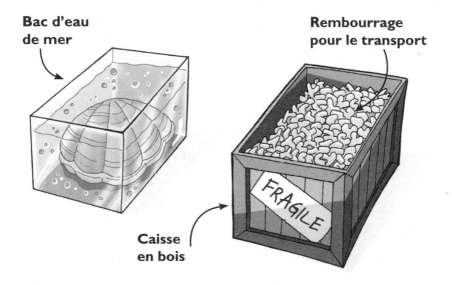

Bac d'eau de mer

Rembourrage pour le transport

FRAGILE

Caisse en bois

Nous restâmes là jusqu'à ce que les opérations soient terminées. La caisse de B O I S allait être fermée, lorsque Ratirez posa la question que nous avions tous à l'esprit :

– Excusez-moi, professeur, mais si, une fois dans votre AQUARIUM, le coquillage reste toujours fermé, comme je crois qu'il le fera, qui pourra admirer cette magnifique *perle* ?

– Jeune rat, je suis heureux de vous informer que je connais la manière de faire ouvrir ce coquillage sans l'**ABÎMER**. Naturellement, je ne peux pas vous révéler la technique, pour des raisons de sécurité, mais, si vous venez à l'aquarium de Sourisia, je pourrai vous prouver que j'avais raison.

Puis la caisse fut **FERMÉE**. Désormais, nous étions sûrs et certains que le coquillage géant et sa perle étaient en sécurité.

Il ne nous restait plus qu'à les transporter jusqu'à l'**AQUARIUM** municipal de Sourisia, où tous les visiteurs pourraient l'admirer.

NUIT DE MYSTÈRES

Entre-temps, la nuit était tombée.

Le professeur insista pour repartir immédiate-ment, mais le COMMANDANT de Poulpon fut **INÉBRANLABLE** : le bateau passerait la nuit au port et lèverait l'ancre très tôt le lendemain matin. Nous dînions lorsque le professeur La Palme vint nous informer de cette **DÉCISION** :

– Je voudrais vous demander de vous joindre à mes hommes pour monter la garde autour du coquillage cette **nuit**. Je ne sais pas pourquoi, mais je ne suis pas tranquille…

Patty et moi nous portâmes aussitôt volon-taires. Tante Toupie resterait à l'hôtel avec Ben-jamin et Pandora.

Une fois sur le **bateau-laboratoire**, le professeur sembla plus calme. Nous descendîmes avec lui dans la cale pour contrôler que la caisse était bien à sa place, puis nous entrâmes dans sa cabine où, d'un air **mystérieux**, il nous fit signe de nous approcher.

Gasp!

– **JE SUIS INQUIET !** chuchota-t-il. Le coquillage est en danger et je le suis peut-être moi-même. S'il m'arrivait quelque chose, je veux que vous sachiez vous aussi comment ouvrir l'Œil de l'Océan sans l'**ABÎMER**.

– Ne dites pas de bêtises, professeur, le rassura Patty. Il ne vous arrivera rien.

– Mais pouvez-vous tout de même nous dire comment ouvrir le coquillage ? demandâmes-nous, **intrigués**.

Le professeur nous murmura le secret à l'oreille. Patty et moi nous **REGARDÂMES**, surpris.

– Voilà, maintenant que je vous l'ai dit, je me sens mieux, conclut le professeur. Allez donc prendre

votre tour de garde. Nous nous dirons au revoir **DEMAIN** matin avant de partir.

Patty et moi, nous nous installâmes sur le pont du bateau, blottis sous une couverture de **laine** ; au-dessus de notre tête s'étendait un incroyable, un assourissant ciel *étoilé* !

Si le moment n'avait pas été plein de *dangers*, ç'aurait été une soirée très romantique. Hélas, les soupçons du professeur La Palme se révélèrent justes. Peu avant l'aube, Patty et moi fûmes

Quel beau ciel étoilé

réveillés en sursaut par un grand **REMUE-MÉNAGE**.

Nous nous précipitâmes dans la cale: heureusement, la caisse n'avait pas bougé.

MAIS LE PROFESSEUR AVAIT DISPARU!

POURQUOI LE PROFESSEUR A-T-IL ÉTÉ ENLEVÉ? AS-TU COMPRIS LA RAISON?

OUVREZ
CETTE CAISSE !

Nous cherchâmes le *professeur* partout, aidés par tante Toupie, Benjamin et Pandora, et même la famille Rongeon, mais il n'y avait aucune trace de lui. Nous retournâmes à la *jetée*, découragés.

C'est alors que nous vîmes un **hélicoptère** qui survolait la plage pendant que, du sol, Ratirez **SIGNALAIT** au pilote où atterrir. *Qu'est-ce que ça voulait dire ?*

Un peu plus loin, le commandant de Poulpon, *manœuvrant* la grue embarquée sur le bateau, sortait de la cale la caisse contenant le coquillage. *Qu'est-ce que ça voulait dire ?*

– **STOP !** criai-je. Que faites-vous ?

– Monsieur Stilton ! répondit le commandant, l'air **épouvanté**. Maintenant que le professeur a disparu, le bateau n'est plus un moyen de **TRANSPORT** sûr. J'ai téléphoné à la direction de l'aquarium pour que l'on m'envoie un hélicoptère, afin que le coquillage arrive à Sourisia en un **CLIN D'ŒIL** !

Je dus admettre qu'il n'avait pas entièrement tort, mais il y avait tout de même quelque chose qui ne collait pas.

– D'accord, dis-je, mais avant toute chose je veux vérifier que le coquillage est toujours à sa place.

– Mais il va falloir **ROUVRIR** la caisse ! objecta Ratirez.

C'est à ce moment que, en l'observant, je m'aperçus que quelque chose d'autre ne collait pas.

– **Ne faites pas d'histoire !** renchérit

Patty. Avez-vous entendu ce qu'a dit M. Stilton ?
Ouvrez cette **CAISSE** ! Et n'oubliez pas qu'il
est le propriétaire légitime de l'Œil de l'Océan !
À CONTRÊCŒUR, le commandant m'obéit.

InDice 5 ◄ - - - - - - ⌐

**GERONIMO DEMANDE QU'ON
OUVRE LA CAISSE PARCE
QUE DEUX DÉTAILS LUI ONT
MIS LA PUCE À L'OREILLE.
LES AS-TU DÉCOUVERTS ?**

TOUT EST
EN PLACE

Lorsque le couvercle de la caisse fut ouvert, nous nous penchâmes tous pour regarder : le coquillage était bien là, plongé dans l'eau et toujours clos. Mais il y avait quelque chose de bizarre...

– C'est bizarre... On dirait que ce n'est pas le même coquillage... remarquai-je.

– Mais non, ne t'inquiète pas, G, tout est en place... dit Patty en clignant de l'œil et en me faisant signe de me taire.

– Moi aussi, il me semble que tout est en place... confirma tante Toupie, avec un autre clin d'œil.

– C'est vrai... conclut Pandora, avec un nouveau clin d'œil.

Mais pourquoi me faisaient-ils tous un clin d'œil ?

Qu'essayaient-ils donc de me dire ?

Je regardai Benjamin, le seul qui n'avait pas encore fait de commentaire. Mais Benjamin se taisait. Il observa le COMMANDANT, qui se tenait à côté de lui et avait l'air très tendu, puis il s'approcha de moi et, à son tour, me fit un clin d'œil en ajoutant :

– Tout est en place ! Le coquillage est dans sa caisse et il s'y trouve très bien !

– Vous avez pu constater qu'il n'y avait pas de problème ! soupira le commandant en ESSUYANT sa sueur avec un mouchoir.

Il semblait à présent plus tranquille.

Nous restâmes tous là, le nez en l'air, pendant que la CAISSE s'envolait vers Sourisia.

Le commandant et Ratirez DISPARURENT à bord du bateau-laboratoire.

– Vous croyez qu'il arrivera en bon état ? demandai-je.

– **JE NE CROIS PAS !** répondit Pandora.

– Mais ce n'est pas très important, dit Patty. Le vrai coquillage ne se trouve plus dans cette caisse ! poursuivit-elle.

– Il n'est pas non plus sur ce **BATEAU** ! ajouta Benjamin.

Voilà donc ce qu'ils essayaient de me dire avec tous leurs **clins d'œil** : que je devais faire comme si de rien n'était, que le coquillage que les autres emportaient était **FAUX** !

– Mais comment pouvez-vous en être aussi sûrs ? demandai-je.

– Très simple : nous avons bien **REGARDÉ** le coquillage, oncle Geronimo ! répondit Benjamin.

INDICE 6

ET TOI, AS-TU BIEN REGARDÉ LE COQUILLAGE ? POURQUOI BENJAMIN ET LES AUTRES SONT-ILS CERTAINS QUE CE N'EST PAS LE VRAI ?

(COMPARE LE COQUILLAGE DE LA PAGE 93 AVEC CELUI DES PAGES 78-79.)

UN MOT
DE PATTY

Lorsque je vis le bateau lever l'ancre, j'eus la **CERTITUDE** que Ratirez et le commandant de Poulpon s'étaient mis d'accord pour nous **ROULER**. En effet, Patty m'avait fait remarquer que le coquillage qu'ils avaient emporté en hélicoptère avait quatre nervures, et non cinq comme le vrai.

Si le *coquillage* n'était pas parti pour Sourisia et n'était pas non plus sur le bateau, cela signifiait qu'il était encore sur l'île. **MAIS OÙ ?**

Nous retournâmes à l'hôtel, très inquiets. Patty alla faire un tour sur la plage.

J'avais l'impression d'avoir subi deux **DÉFAITES** : à cause de la disparition du coquillage et à cause de celle du professeur La

Palme! Et maintenant, qu'allais-je raconter à mes lecteurs? Et aux citoyens de Sourisia? Comme si cela ne suffisait pas, nous eûmes, ce soir-là au dîner, une nouvelle inquiétude: Patty n'était pas encore RENTRÉE à l'hôtel!

Pablo Rongeon dit qu'il l'avait vue rentrer de la plage une demi-heure plus tôt: elle était allée dans sa chambre.

– Pouvez-vous envoyer l'un de vos enfants pour l'appeler

– Je regrette, *señor* Stilton, mais mes enfants sont tous occupés par une grosse... euh... occupation. Ce soir, je dois me débrouiller tout seul pour tout!

Comme je trouvais cette excuse très **BIZARRE**, je montai moi-même dans la chambre de Patty, suivi par tante Toupie, Benjamin et Pandora. Je frappai à la porte, mais personne ne répondit. La porte n'était pas **FERMÉE** à clef, et j'entrai. La chambre était vide. Sur la **table de nuit**, je trouvai un mot où il était écrit : « **POUR GERONIMO** ». Je l'ouvris d'une patte tremblante :

> Il y a une grande grotte à l'ouest de la plage.
> J'ai peut-être trouvé le coquillage et... quelque chose d'autre.
> Je vous attends là-bas. Dépêchez-vous !
> Patty
>
> P.-S. : Apportez la flûte de tante Toupie.

LA GROTTE

Tante Toupie alla chercher sa flûte, puis nous sortîmes en passant par l'arrière de l'hôtel pour qu'on ne nous **VOIE** pas. *Heureusement,* Benjamin s'était muni d'une grosse lampe torche et nous

Vite...

guida dans la nuit jusqu'à la plage. Nous poursuivîmes en direction de l'ouest sans rencontrer âme qui vive : mais où pouvait bien être Patty ?

Enfin, après un bon quart d'heure de marche, nous aperçûmes une lueur qui filtrait à travers une étroite fissure dans les rochers. Nous nous approchâmes sur la pointe des pattes. Lorsque nous fûmes très près, Benjamin éteignit la lampe torche. Il faisait si noir que l'on n'aurait pas distingué un chat d'un rat ! La seule lumière était la lueur.

– Il vaut mieux que vous restiez là, tous les deux, conseilla tante Toupie à Benjamin et Pandora. Nous, nous allons voir ce qu'il y a là-dedans.

Bien que j'aie une FROUSSE FÉLINE, je ne pouvais pas faire marche arrière.

En avançant presque accroupis,

tante Toupie et moi **ATTEIGNÎMES** l'entrée de la grotte. Ce que nous découvrîmes alors nous laissa sans voix! Les trois enfants Rongeon et le commandant de Poulpon étaient en train de **RICANER** comme de vieux amis, assis autour du feu.

Dans un coin, ficelé comme un saucisson, était assis le **PAUVRE** professeur Hermès La Palme, et nous vîmes au centre de la grotte l'Œil de l'Océan, heureusement encore **FERMÉ**!

– Professeur, menaça Ratirez, que devons-nous faire pour vous convaincre de nous dire comment ouvrir ce coquillage? Est-ce qu'il faut vous faire subir une petite **GRILLADE**?

– Faites de moi ce que vous voulez! Je ne parlerai jamais! répondit fièrement le professeur.

– Eh, Ratirez, et si on brisait le coquillage avec un **marteau**? suggéra Ratira.

– Bonne idée! ricana Ratiro en se levant, un marteau à la patte.

– Non ! s'écria le professeur. Vous ne pouvez pas
faire cela ! Ce *coquillage* est un spécimen unique !

Tante Toupie et moi nous éloignâmes de la grotte.

Il fallait agir, et vite ! Mais comment ?

C'est alors que Benjamin et Pandora
vinrent à notre rencontre en *plaisantant* gaie-
ment :

– Devinez qui nous avons trouvé !

Dans l'obscurité, j'entendis une voix qui me fit
tressaillir :

– Tu as apporté la flûte, G ?

LE SEIGNEUR
DE L'ÎLE CORSAIRE

– Patty ! m'exclamai-je, le **cœur** battant.
– Excuse-moi si je t'ai fait peur. Mais nous n'avons
pas une seconde à perdre…
– J'ai **VU**, dis-je en lui tendant la flûte. Mais il
nous faut un plan…

– J'en ai un. Écoutez-moi bien...

Quelle *rongeuse* au poil, cette Patty Spring ! Elle avait vraiment pensé à tout !

PUIS ELLE NOUS FIT SIGNE DE LA SUIVRE.

Nous escaladâmes les rochers et arrivâmes au-dessus de la grotte. Patty nous indiqua une petite **FISSURE** qui s'ouvrait juste au-dessus du plafond de la grotte et permettait de voir les membres de la bande.

– Maintenant, à toi de jouer, dit Patty en s'adressant à Benjamin. Tu te rappelles ce que tu dois dire ?

Il acquiesça et, bien qu'il soit prêt à *éclater* de rire, il se pencha vers la fissure.

Il prit sa respiration et **CRIA** de toutes ses forces :

– EH, VOUS, MISÉRABLES RONGEURS ! COMMENT AVEZ-VOUS OSÉ PROFANER MA GROTTE SACRÉE ?

Comme Patty l'avait prévu, la voix de Benjamin résonna à l'intérieur de la grotte comme le tonnerre ! On aurait vraiment dit la voix d'un fantôme terrifiant !

Les Rongeon et le commandant devinrent pâles comme un camembert !

Pandora et Benjamin avaient du mal, cependant, à ne pas éclater de rire !

– Q... qui est là ? balbutia le commandant.

– Je suis le seigneur de l'Île Corsaire et vous avez osé voler dans mes eaux une de mes plus belles filles !

– Nous ne l'avons pas volée, nous l'avons trouvée ! essaya de dire Ratirez. Et puis qui nous prouve que vous n'êtes pas un imposteur ?

– Comment oses-tu me traiter d'imposteur ? Puisqu'il en est ainsi, je vais te montrer mon pouvoir !

Alors, Patty s'approcha de la fissure et commença à jouer de la FLÛTE.

– Qu'est-ce que c'est ? Une plaisanterie ? demanda Ratira en REGARDANT autour d'elle.

Mais lorsqu'ils se tournèrent vers le coquillage, ils restèrent sans voix. Il était en train de s'ouvrir lentement, dévoilant son trésor : *la perle géante !*
C'était le secret du professeur La Palme : le coquillage s'ouvrait lorsque retentissait de la musique !

– PRENONS-LA ! s'écria le commandant en se précipitant vers la perle.

Les Rongeon l'imitèrent aussitôt.

« Adieu, perle ! » pensai-je.

Mais Patty avait tout prévu. Elle attendit que les vauriens aient **TENDU** la patte vers la perle, puis elle cessa soudain de jouer ! Le coquillage se referma d'un coup, **EMPRISONNANT** les pattes de ces rongeurs avides !

– Au secours!! Au secours!! Laissez-nous partir! commencèrent-ils à CRIER.

– Promettez-vous de ne plus jamais pénétrer dans cette grotte? cria Benjamin à travers la fissure.

– Nous le promettons!

– Et de partir immédiatement sans vous retourner?

– *Nous le promettons !* Mais délivrez-nous !

Le Seigneur de l'île Corsaire tint parole et libéra les quatre VAURIENS, qui fuirent à toutes pattes. Le professeur La Palme ne cessait de nous remercier et PLEURAIT d'émotion.

Aussitôt, Patty récupéra le bateau-laboratoire, qui n'avait pas eu le temps d'aller bien loin. Et le coquillage REGAGNA la cale sain et sauf.

Après quoi, sans même repasser par l'hôtel, nous retournâmes directement à Sourisia.

LA VIE EST MERVEILLEUSE

Le jour de l'**inauguration** de la nouvelle salle de l'aquarium municipal de Sourisia, tout le monde était là: le maire **Honoré Souraton**, le directeur de l'aquarium Hermès La Palme, les rongeurs les plus importants de la ville et toute la rédaction de *l'Écho du rongeur*. Et, naturellement, nous étions là, nous aussi, qui avions mené cette aventure à bonne **FIN**.

En vérité, je me tenais un peu à l'écart, car je savais bien que j'avais simplement eu de la chance, et je voulais laisser tout le mérite de ce succès à Patty. Mais, lorsque les *flashs* des photographes commencèrent à crépiter, elle voulut que je sois à côté d'elle. Vous vous rendez compte, moi, au bras de la rongeuse la plus *charmante* de l'île des Souris ! *J'en avais les moustaches qui vibraient d'émotion !*

À un moment donné, sans prévenir, une musique mélodieuse fut diffusée dans la salle et, sous les regards médusés de l'assistance, l'Œil de l'Océan s'ouvrit lentement, dévoilant le contenu de son écrin !

– OOOOOOOOOOOOOOOOH !

s'exclama l'assistance, stupéfaite.

Pour ma part, je m'approchai de tante Toupie, car j'avais encore une **question** à lui poser. Naturellement, oncle Épilon se tenait à ses côtés.

– Tante Toupie, demandai-je, pourquoi avais-tu emporté une **FLÛTE** dans tes bagages ?

– Je suis très attachée à cette flûte : c'est un cadeau que m'a fait oncle Épilon, il y a des années de cela, c'est un peu mon **PORTE-BONHEUR**,

si bien que je l'emporte toujours avec moi en voyage. Patty le savait, et c'est pourquoi elle t'a demandé de l'apporter! **N'est-ce pas merveilleux?**

Pour sûr, ça l'était! Vous voulez connaître le fond de ma pensée? Comme le dit toujours tante Toupie, la vie est vraiment **merveilleuse!**

Solution Des Indices

1 **OBSERVE TOI AUSSI LA FAMILLE RON-GEON : TU NE REMARQUES RIEN ?**

Ils portent tous une boucle d'oreille à l'oreille gauche.

2 **QUE SOUPÇONNENT BENJAMIN ET PANDORA ?**

Que quelqu'un ait fait disparaître l'ordinateur de Geronimo et la carte mémoire de la caméra de Patty, c'est-à-dire toutes les preuves de la découverte.

3 **ET TOI, AS-TU COMPRIS À QUI APPARTIENT LA BOUCLE D'OREILLE ?**

(Regarde le dessin de la page 30 et compare-le avec celui de la page 59. Tu ne remarques rien ?)

À Ratira, qui en portait toujours une et n'en a plus.

4 **POURQUOI LE PROFESSEUR A-T-IL ÉTÉ ENLEVÉ ? AS-TU COMPRIS LA RAISON ?**

Parce qu'il est le seul à savoir ouvrir l'Œil de l'Océan et donc à pouvoir obtenir la perle géante sans peine.

5 **GERONIMO DEMANDE QU'ON OUVRE LA CAISSE PARCE QUE DEUX DÉTAILS LUI ONT MIS LA PUCE À L'OREILLE. LES AS-TU DÉCOUVERTS ?**

a) Il a remarqué que l'inscription rouge sur la caisse comportait une faute (FRAGGILE) ; et que la caisse avait donc été changée.
b) Ratiro a les pattes tachées de rouge. Cela veut dire que c'est lui qui a inscrit sur la caisse le mot fautif.

6 **ET TOI, AS-TU BIEN REGARDÉ LE COQUILLAGE ? POURQUOI BENJAMIN ET LES AUTRES SONT-ILS CERTAINS QUE CE N'EST PAS LE VRAI ?**

(Compare le coquillage de la page 93 avec celui des pages 78-79.)
Parce que celui qu'ils ont vu a quatre nervures sur la coquille au lieu de cinq.

Table des matières

Geronimo Stilton

DANS LA MÊME COLLECTION

L'ÉCHO DU RONGEUR

1. Entrée
2. Imprimerie
   (où l'on imprime les livres et le journal)
3. Administration
4. Rédaction (où travaillent les rédacteurs,
   les maquettistes et les illustrateurs)
5. Bureau de Geronimo Stilton
6. Piste d'atterrissage pour hélicoptère

Sourisia, la ville des Souris

1. Zone industrielle de Sourisia
2. Usine de fromages
3. Aéroport
4. Télévision et radio
5. Marché aux fromages
6. Marché aux poissons
7. Hôtel de ville
8. Château de Snobinailles
9. Sept collines de Sourisia
10. Gare
11. Centre commercial
12. Cinéma
13. Gymnase
14. Salle de concerts
15. Place de la Pierre-qui-Chante
16. Théâtre Tortillon
17. Grand Hôtel
18. Hôpital
19. Jardin botanique
20. Bazar des Puces-qui-boitent
21. Maison de tante Toupie et de Benjamin
22. Musée d'Art moderne
23. Université et bibliothèque
24. La Gazette du rat
25. L'Écho du rongeur
26. Maison de Traquenard
27. Quartier de la mode
28. Restaurant du Fromage d'or
29. Centre pour la Protection de la mer et de l'environnement
30. Capitainerie du port
31. Stade
32. Terrain de golf
33. Piscine
34. Tennis
35. Parc d'attractions
36. Maison de Geronimo Stilton
37. Quartier des antiquaires
38. Librairie
39. Chantiers navals
40. Maison de Téa
41. Port
42. Phare
43. Statue de la Liberté
44. Bureau de Farfouin Scouit
45. Maison de Patty Spring
46. Maison de grand-père Honoré

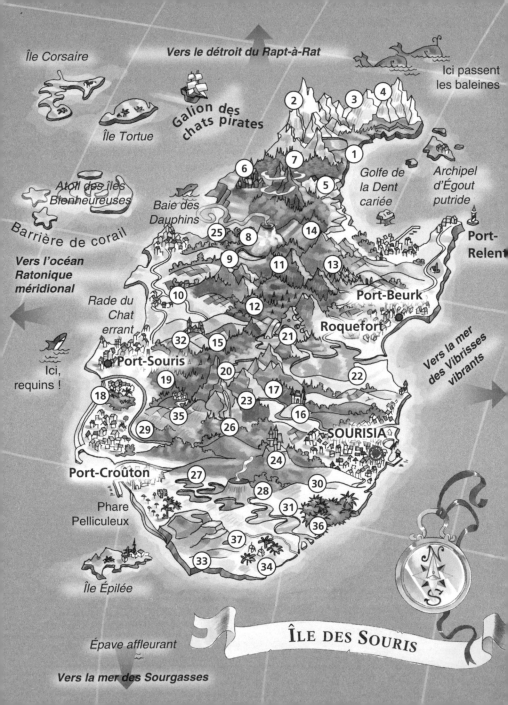

Île des Souris

1. Grand Lac de glace
2. Pic de la Fourrure gelée
3. Pic du Tienvoiladéglaçons
4. Pic du Chteracontpacequilfaifroid
5. Sourikistan
6. Transourisie
7. Pic du Vampire
8. Volcan Souricifer
9. Lac de Soufre
10. Col du Chat Las
11. Pic du Putois
12. Forêt-Obscure
13. Vallée des Vampires vaniteux
14. Pic du Frisson
15. Col de la Ligne d'Ombre
16. Castel Radin
17. Parc national pour la défense de la nature
18. Las Ratayas Marinas
19. Forêt des Fossiles
20. Lac Lac
21. Lac Lac Lac
22. Lac Laclaclac
23. Roc Beaufort
24. Château de Moustimiaou
25. Vallée des Séquoias géants
26. Fontaine de Fondue
27. Marais sulfureux
28. Geyser
29. Vallée des Rats
30. Vallée Radégoûtante
31. Marais des Moustiques
32. Castel Comté
33. Désert du Souhara
34. Oasis du Chameau crachoteur
35. Pointe Cabochon
36. Jungle-Noire
37. Rio Mosquito

Au revoir, chers amis rongeurs, et à bientôt
pour de nouvelles aventures.
Des aventures au poil, parole de Stilton, de...

Geronimo Stilton

In Search of Wholeness

PRAISE FOR *IN SEARCH OF WHOLENESS*

"*In Search of Wholeness* expertly reveals how teacher cultural orientation may impact student academic achievement. Professor Jacqueline Jordan Irvine's expansive exploration of the subject powerfully underscores the need for more African American teachers and other teachers of color. This work adds even more prominence to Irvine as a scholar and leading visionary of her time."

—Mildred J. Hudson, Ph.D.,
Chief Executive Office,
Recruiting New Teachers, Inc.